S0-AZQ-488

Auteur : Dominique de Saint Mars

Après des études de sociologie,
elle a été journaliste à *Astrapi*.
Elle écrit des histoires
qui donnent la parole aux enfants
et traduisent leurs émotions.
Elle dit en souriant qu'elle a interviewé
au moins 100 000 enfants...
Ses deux fils, Arthur et Henri,
ont été ses premiers inspirateurs !
Prix de la Fondation pour l'Enfance.
Auteur de *On va avoir un bébé*,
Je grandis, Les Filles et les Garçons,
Passeport pour l'école
et *Léon a deux maisons*.

Illustrateur : Serge Bloch

Cet observateur plein d'humour
et de tendresse est aussi un maître
de la mise en scène.
Tout en distillant son humour généreux
à longueur de cases, il aime faire sentir
la profondeur des sentiments.

Lili se dispute
avec son frère

Collection dirigée par Dominique de Saint Mars

© Calligram 1992
© Calligram 1995, pour la présente édition
Tous droits réservés pour tous pays
Imprimé en CEE
ISBN : 2-88445-035-9

Ainsi va la vie

Lili se dispute avec son frère

Dominique de Saint Mars

Serge Bloch

CALLIGRAM
CHRISTIAN GALLIMARD

13

AAAH!

BING!

14

15

16

18

22

23

24

26

27

AH NON! Moi, je ne m'en mêle plus. Vous n'avez qu'à résoudre vos problèmes tout seuls. Vous êtes bien assez malins, et bien assez grands!

30

32

33

34

36

Max et Lili, espèces de cachottiers !

Mon papa chéri, je vais apprendre à tricoter et te faire une écharpe pour te tenir chaud au cœur !

Et toi...

Est-ce qu'il t'est arrivé la même histoire qu'à Max et Lili ?
Réponds aux deux questionnaires...

SI TU CONNAIS QUELQU'UN QUI A ÉTÉ EN PRISON..

Comment l'as-tu appris ? On t'a expliqué pourquoi ?
Tu as été choqué, triste, en colère, inquiet, soulagé ?

On te l'a caché ? pour te protéger ? Tu aurais préféré
le savoir tout de suite ou ne jamais le savoir ?

Il te manque ? Tu es allé le voir ? Tu lui as fait un
cadeau ? Tu avais envie d'y aller ? ou tu as été obligé ?

Et toi...

Est-ce qu'il t'est arrivé la même histoire qu'à Lili ?

Trouves-tu que ton frère ou ta sœur
en a toujours plus que toi ?

Penses-tu que tes parents
sont injustes envers toi ?

En arrives-tu à détester parfois
ton frère ou ta sœur ?

As-tu du mal à dire tout ce que tu ressens
quand tu es en colère ?

Si tu es jaloux de ton frère ou de ta soeur,
en parles-tu avec tes parents ?

Te souviens-tu des moments
où vous vous entendez vraiment bien ?

As-tu remarqué que ce frère ou cette soeur
te manquait quand il (ou elle) n'était pas là... ?

Demandes-tu à tes parents de ne pas intervenir
et de te laisser régler tes disputes tout seul ?

Essaies-tu de bien te faire comprendre
et de comprendre ce que veut l'autre ?

A la maison, as-tu un coin bien à toi
où tu peux t'isoler quand tu veux ?

43

**Après avoir réfléchi
à ces questions sur les disputes,
tu peux en parler
avec tes parents ou tes amis.**

Dans la même collection

Tu te sens abandonné ? Tu lui en veux ?
Tu ne veux plus le voir ? Ou tu l'aimes encore plus ?

Tu l'as raconté à tes copains ? On s'est moqué de toi ?
ou tu l'as caché ? Tu as eu honte ?

Plus tard, tu as envie ou peur d'être comme lui ?
Tu aimerais être éducateur, policier, juge ?

SI TU NE CONNAIS PERSONNE QUI A ÉTÉ EN PRISON.

Tu te poses des questions sur la prison ? Comment l'imagines-tu ? La connais-tu par la télé ? la B.D. ?

Penses-tu que la peur de la prison peut empêcher les gens de commettre des fautes ou de faire du mal ?

Si le père ou la mère de ton meilleur ami était en prison, continuerais-tu à être son ami ?

Comprends-tu que l'on puisse aller en prison,
même si on n'a pas fait exprès de faire du mal ?

Penses-tu qu'il faut humilier un prisonnier pour le punir ou
le traiter avec humanité pour l'aider à se reconstruire ?

Sais-tu qu'il y a des moyens, comme les travaux d'intérêt
général, pour réparer ses fautes en cas de délit ?

Petit dico Max et Lili
sur la prison

Justice : Système mis en place par la société pour se défendre et mieux vivre ensemble, en faisant respecter la loi et les droits de chacun.

Délit : Acte interdit par la loi : voler, agresser, racketter, injurier, etc.

Crime : Délit très grave : meurtre, agression à main armée, enlèvement, viol, etc.

Peine : Punition prévue par la loi, infligée à ceux qui ont commis un crime ou un délit.

Code pénal : Textes qui prévoient les peines pour les crimes ou les délits.

Tribunal : Lieu où l'on rend la justice.

Procureur : Il est chargé de l'accusation et réclame la peine pour le délit.

Avocat : Son métier est d'aider les gens à comprendre la loi et à se défendre devant le tribunal.

Juge : Il rend le jugement, en appliquant les lois.

Jugement : Décision qui punit ou innocente l'accusé.

Sursis : Délai accordé au condamné pour lui éviter d'aller en prison, qui est annulé s'il récidive.

Prison : Lieu où les condamnés sont incarcérés pour purger leur peine.

Détenu : Prisonnier.

Libération conditionnelle : Possibilité d'être libéré avant la fin de sa peine pour le détenu qui se comporte bien, a trouvé du travail, un logement.

Réinsertion : Retour à la vie normale dans la société.